Anna Sójka

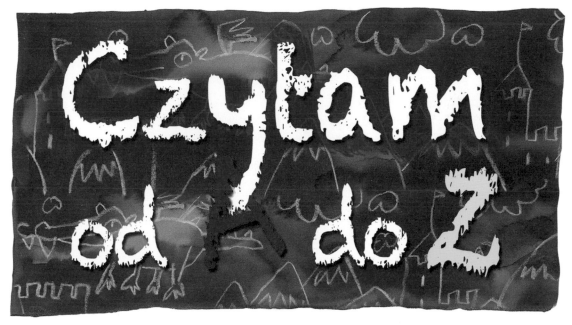

Czytam od A do Z

Literkowe opowiadania

Ilustracje – Sebastian Person

CENTRUM EDUKACJI DZIECIĘCEJ

GRUPA WYDAWNICZA
PUBLICAT S.A.

Papilon
książki dla dzieci: baśnie i bajki, klasyka polskiej poezji, wiersze i opowiadania, powieści, książki edukacyjne, nauka języków obcych

Publicat
poradniki i książki popularnonaukowe: kulinaria, zdrowie, uroda, dom i ogród, hobby, literatura krajoznawcza, edukacja

Elipsa
albumy tematyczne: malarstwo, historia, krajobrazy i przyroda, albumy popularnonaukowe

Wydawnictwo Dolnośląskie
literatura młodzieżowa, kryminał i sensacja, historia, biografie, literatura podróżnicza

Książnica
literatura kobieca i obyczajowa, beletrystyka historyczna, literatura młodzieżowa, thriller i horror, fantastyka, beletrystyka w wydaniu kieszonkowym

NajlepszyPrezent.pl
TWOJA KSIĘGARNIA INTERNETOWA

Projekt okładki i opracowanie komputerowe projektu – Elżbieta Baranowska
Korekta – Eleonora Mierzyńska-Iwanowska
Text © Anna Sójka-Leszczyńska MCMXCIX
All other rights © Publicat S.A. MCMXCIX, MMXIV
All rights reserved
ISBN 978-83-271-0015-3

Centrum Edukacji Dziecięcej – znak towarowy
Publicat S.A.
61-003 Poznań, ul. Chlebowa 24
tel. 61 652 92 52, fax 61 652 92 00
e-mail: ced@publicat.pl
www.publicat.pl

Abrakadabra

Żył kiedyś pewien aligator, który bardzo chciał zostać czarodziejem. Ponieważ mieszkał w zoo i nie mógł wyjść z klatki, żeby poszukać kogoś, kto nauczy go zaklęć, dał ogłoszenie do gazety przez zaprzyjaźnionego dozorcę:

SZUKAM CZARODZIEJA. ALIGATOR.

Nie minął tydzień, gdy przed jego klatką stanął starszy pan w czerwonym cylindrze.

– Jestem Aleksander Abrakadabra – przedstawił się. – Profesor Akademii Czarów.

– Kogoś takiego szukałem! – ucieszył się aligator. – Mam na imię Adaś i chciałbym poznać magię.

– Oczywiście. Nauczę cię wszystkiego, ale na koniec musisz zdać egzamin. Da ci on prawo do używania jednego zaklęcia.

– Dobrze, dobrze! – zgodził się aligator, który był tak szczęśliwy, że ledwie słuchał czarodzieja.

Profesor zabrał się do nauki starannie i systematycznie. Najpierw pokazał Adasiowi, jak zamienić ananasa w arbuza, Amerykę w Australię i Alę w Anię. Potem przerobili wszystkie czary na „b", „c", „d" i pozostałe litery alfabetu. Aż do „z". W końcu nadszedł dzień egzaminu. Adaś zdał go celująco, a kiedy czarodziej poprosił go, żeby wybrał jedno zaklęcie, zawołał:

– To ze znikaniem! Chcę umieć znikać!

– Oczywiście – ukłonił się czarodziej.

Aligator zniknął. I to był koniec jego historii. Mógł przecież skorzystać tylko z jednego zaklęcia.

Bal w Bałwankowie

Były sobie kiedyś dwa bałwanki: Bęc i Bum. Mieszkały za kołem podbiegunowym: pływały na krach, goniły się z białymi niedźwiadkami, urządzały focze wyścigi i oglądały zorze polarne. Aż pewnego dnia wyłowiły z morza butelkę. Był w niej list:

Kochane bałwanki!
Zapraszamy Was na wielki bal
w Bałwankowie. Za tydzień,
w sobotę wieczorem.

Do listu dołączona była dokładna mapa.
– Hura! Jeszcze nigdy nie byliśmy na balu! – ucieszyli się Bęc i Bum. – Niech żyje Bałwankowo! Dosiedli rybitw i polecieli.

W Bałwankowie, skąd od lat wysyłano listy, na które dopiero teraz ktoś odpowiedział, zgotowano im wspaniałe powitanie. Sam burmistrz wygłosił przemówienie, grała orkiestra, a wokół placu unosiły się błękitne baloniki.

Kiedy zapadł zmrok, rozpoczął się bal. Bęc i Bum nigdy jeszcze tak dobrze się nie bawili. Nad ranem nadszedł czas pożegnań.

– Do zobaczenia! – zawołali Bęc i Bum.

– Nie zobaczymy się więcej – powiedziały bałwanki. – To był bal pożegnalny. Zima wkrótce się skończy, przyjdzie wiosna, a my się roztopimy i znikniemy.

Bęc i Bum spojrzeli na siebie. Wiedzieli, co trzeba zrobić.

– Lećcie z nami! – powiedzieli. – Tam, gdzie mieszkamy, zawsze jest zima.

– Czy to możliwe? – zdziwił się burmistrz Bałwankowa. – Czy naprawdę jest takie miejsce, gdzie wiecznie leży śnieg, a bałwanki nie topnieją?

Wtedy Bęc i Bum opowiedzieli o krach, białych niedźwiadkach, wyścigach fok i zorzach polarnych.

A potem przyleciały rybitwy i zabrały wszystkie bałwanki za koło podbiegunowe. Odtąd co roku, po wielkim balu pożegnalnym w Bałwankowie, bałwanki nie topnieją, tylko odlatują do krainy wiecznych lodów.

Cudaczek-Cytryniaczek

Moja młodsza siostra Celinka ciągle się krzywi. Wygląda, jakby właśnie zjadła cytrynę, więc przezywamy ją Cudaczek--Cytryniaczek. Wtedy krzywi się jeszcze bardziej i z płaczem biegnie do mamy. Okropna z niej skarżypyta.

Kiedy pojechaliśmy na wakacje do babci, było tak samo. Od razu pierwszego dnia poszła naskarżyć. Ale babcia wcale nas nie skrzyczała – ani mnie, ani mojego kuzyna Czarka. Przytuliła Celinkę, długo szeptała jej coś na ucho, a później zawołała nas i powiedziała:

– Jutro zorganizujemy Wielki Bal Przebierańców. Ten, kto się najładniej przebierze, dostanie Specjalną Nagrodę.

– Hura! – zawołaliśmy, bo bardzo nam się ten pomysł spodobał.

Zaraz pobiegliśmy przygotowywać stroje. Na strychu znalazłam obszytą cekinami chustę. Przebrałam się za Cygankę. Czarek wygrzebał z kąta śmieszną czapkę z dzwonkami.

– Jestem klaunem! – zawołał.

Wyglądał prawie jak prawdziwy cyrkowiec. Ciekawe, kto z nas dostanie nagrodę? O Celinie nawet nie myśleliśmy. Niemożliwe, żeby wymyśliła coś lepszego niż my.

Ale to właśnie Celinka okazała się najbardziej pomysłowa. Przebrała się za… Cudaczka-Cytryniaczka. Miała na sobie cytrynowe skarpetki i cytrynową sukienkę, a na szyi sznur korali z… cytryn. Nie ma co! Była najlepsza. Oczywiście wiedzieliśmy, że babcia jej pomogła, ale nie da się ukryć, że my nie wysililiśmy się ani trochę. Stara chusta obszyta cekinami i spłowiała czapka! Nie popisaliśmy się.

Celinka dostała w nagrodę dodatkową porcję ciasteczek cytrynowych i od tego czasu częściej się uśmiecha. Lubię ją. A ona lubi swoje przezwisko: Cudaczek-Cytryniaczek.

Droga do domu

Dudek Duduś był już na tyle duży, że mama pozwalała mu samemu latać do lasu. Ale on chciał latać jeszcze dalej i jeszcze dłużej. Pewnego dnia, jak zwykle, poleciał...

– Mógłbym wcale nie wracać do domu – westchnął, przysiadając na gałęzi dębu.

I wtedy zza drzewa wyskoczył dębowy ludek.

– Dzień dobry – przywitał się grzecznie, a potem zapytał: – Mógłbyś nie wracać do domu? Wolałbyś latać i latać?

– Oczywiście – powiedział Duduś. – To o wiele zabawniejsze.

– Oddaj mi swoją drogę do domu, a sprawię, że będziesz mógł latać tak długo, że nawet nie możesz sobie tego wyobrazić – uśmiechnął się dębowy ludek.

– Dobrze – szybko zgodził się Duduś. I poleciał...

Odwiedził najpierw wszystkich przyjaciół i najbliższych krewnych, później wszystkich znajomych i dalszych kuzynów, wreszcie zajrzał do kilku zupełnie obcych dudków, które mieszkały po drodze, a nawet do jednego dzięcioła. Kiedy skończył – zaczął od początku. I jeszcze raz. I jeszcze. Aż w końcu ciotka Danuta spojrzała na niego przez swoje druciane okulary i powiedziała:

– Drogi Dudusiu. Sądzę, że powinieneś wracać do mamy.

– Kiedy nie mogę znaleźć drogi do domu – rozpłakał się nagle Duduś, który był już bardzo, bardzo zmęczony. – Oddałem ją dębowemu ludkowi.

– Coś na to poradzimy – powiedziała ciotka Danuta. – Poczekaj tu na mnie. Zaraz wracam.

Rzeczywiście. Zaraz wróciła, a wraz z nią w progu stanął dębowy ludek.

– Wcale mi nie zależy na twojej drodze do domu – powiedział do Dudusia. – Ciągle prowadzi mnie do dudkowej mamy. To nie dla mnie.

– A dla mnie w sam raz! Dziękuję, ciociu! Do widzenia! – zawołał Duduś i poleciał… do domu.

Elementarz

– Ech! – westchnęła Ewka. – Nigdy nie nauczę się tego wiersza na pamięć. Nie mogę i już.

Ostatni raz spojrzała na elementarz, rzuciła go w kąt, zmieniła kapcie na tenisówki i pobiegła na podwórko bawić się z Eweliną. Elementarz leżał w kącie. Najpierw zrobiło mu się bardzo, bardzo smutno, a później, powolutku, zaczął się złościć:

– To wcale nie jest trudny wiersz – mruknął. – To tylko Ewka, zamiast się uczyć, ciągle biega na podwórko!

Aż w końcu rozzłościł się na dobre:

– Ja jej pokażę, co to znaczy trudny wiersz!

Ewka wróciła do domu późnym wieczorem. Zapomniałaby o zadaniu, gdyby nie potknęła się o leżący w kącie elementarz. Otworzyła książkę.

– Ten wiersz jest chyba jeszcze trudniejszy niż przedtem – westchnęła. Ale cóż było robić… całą noc uczyła się go na pamięć.

Pani wywołała ją do odpowiedzi jako pierwszą.

– Elma jest egzotyczną foką
i umie latać (niewysoko).
Z tego powodu w Edwardowie
sam burmistrz stanął dziś na głowie,
egzemę przykrą złapał emu,
a Egon ciągle pytał „czemu?".
Efektem foki egzaltacji
był tygodniowy brak kolacji,
bo kucharz Edek krzyknął „niech to!"
(głos jego w dal poniosło echo)
i uciekł, kradnąc kosz eklerek,
by z foką pójść gdzieś na spacerek.

W klasie zrobiło się cicho
jak makiem zasiał.
– Czy ty, Ewuniu,
dobrze się czujesz? –
zapytała pani. – To nie ten
wiersz. Musiałaś się pomylić.
Na jutro naucz się na pamięć
właściwego i uważaj, co zadaję
do domu!
Ewka zaczerwieniła się ze wstydu
i usiadła. Jeszcze nigdy nie czuła się
tak okropnie. Otworzyła elementarz w miejscu, w którym wczoraj
znalazła wiersz, żeby pokazać pani, że wcale się nie pomyliła, i…
na białej stronie przeczytała duży, wyraźny napis:

Będę szczery –
nie obchodzą cię litery,
nie obchodzi cię nauka,
ciągle innych zajęć szukasz,
lecz na zawsze zapamiętasz,
że w kąt rzucać elementarz –
to nieładnie i niegrzecznie.
Pomyśl o tym dziś koniecznie.

Litery zaczęły blednąć, aż w końcu zniknęły zupełnie.
Ewka nauczyła się na pamięć wiersza, który zadała pani. Nauczyła się
też, że książki należy szanować i… że na literę „e" zaczyna się mnóstwo trudnych słów.

Fruwadlisko i Fruwadełko

Fruwadlisko było trochę podobne do smoka, ale tylko trochę. Miało stare łapy, stary ogon i parę starych skrzydeł. Machało nimi ponuro i wzdychało:

– Och… jak mi smutno! Ech… nic mi się nie podoba. Uch… nikt mnie nie lubi.

Było bardzo smutne i ponure. Zawsze. Dlatego właśnie nikt go nie lubił. Trudno zaprzyjaźnić się z kimś, kto ciągle narzeka.

Aż pewnego dnia…

W zaroślach na skraju lasu Fruwadlisko znalazło jajko. Kiedy już je znalazło, postanowiło to jajko wysiedzieć. A kiedy wysiedziało – z jajka wykluło się Fruwadełko.

Miało maleńkie łapy, niedługi ogon i parę tycich skrzydełek. I chichotało z byle powodu, co było niezwykle denerwujące. Po całej okolicy rozlegało się nieustannie „cha, cha, cha" i „chi, chi, chi", na przemian z westchnieniami Fruwadliska.

Wreszcie stary wodnik Feliks, który mieszkał w pobliskim bajorku, nie wytrzymał. Opuścił przytulny stawek (a nie robił tego od setek lat) i udał się na skraj lasu, gdzie Fruwadlisko wzdychało i jęczało, a Fruwadełko śmiało się do rozpuku.

– Dość tego – powiedział. – Nikt już nie może wytrzymać takiego hałasu. Jedno wiecznie narzeka, a drugie wciąż chichocze. Przestańcie natychmiast!

– Kiedy, auu... nie możemy. Uf... – westchnęło Fruwadlisko.

– Właśnie, chi, chi, chi – dodało wesoło Fruwadełko.

– Wcale nie chcę ciągle narzekać – powiedziało Fruwadlisko.

– A ja mam już dosyć chichotania – dodało Fruwadełko.

– Tylko nie wiemy, jak przestać – dokończyły oba. – Gdyby nie to narzekanie i ten śmiech, może nic by z nas nie zostało. Nie umiemy robić nic innego. Jeśli przestaniemy wzdychać i śmiać się, to zupełnie znikniemy.

– Idźcie do cyrku – pokiwał głową mądry wodnik. – Tam możecie wzdychać i śmiać się do woli. Na arenie. Zostańcie klaunami.

Fruwadlisko i Fruwadełko posłuchały rady wodnika Feliksa. Szybko zdobyły sławę najlepszych klaunów w okolicy, a z czasem okazało się, że wystarcza im wzdychanie i śmiech podczas występów. Poza sceną zachowują się teraz zupełnie zwyczajnie. I nie zniknęły. Ani trochę.

Guzikowe Królestwo

– Grzesiu – powiedziała babcia, gdy skończyła sprzątać pokój. – Chcesz, opowiem ci niezwykłą historię.

I opowiedziała:

– „Dawno, dawno temu, było sobie Guzikowe Królestwo. Najpiękniejsze na świecie. Naprawdę. Wszystko tam było zrobione z nici, szpilek, skrawków materiału i resztek wełny. Mieszkańcami Guzikowego Królestwa były, oczywiście, guziki. Żyły sobie szczęśliwie, bez trosk i kłopotów, aż pewnego dnia…

Z zamkowej wieży rozległ się okrzyk strażnika:

– Smok! Smok! Ratuj się, kto może!

Mieszkańcy Guzikowego Królestwa najpierw usłyszeli przerażające wycie, potem poczuli wicher silny jak tysiąc wichrów, a potem, nagle, spostrzegli, że zamiast w Guzikowym Królestwie, znajdują się w brzuchu smoka. Razem z włóczkowym zamkiem, nitkowymi ulicami, a także domkami ze szpilek i skrawków materiału. Było ciemno, zimno i ponuro.

– Co robić? – pytali poddani, ale guzikowy król nie umiał znaleźć żadnej rady. Martwiły się więc guziki i traciły z tego zmartwienia kolory.

– Trzeba czekać. Może ktoś nas uratuje – szeptały.

– Przydałby się guzikowy rycerz – mówiły.

– Oj, przydał – wzdychały.

A ponieważ tam, gdzie są smoki, zwykle bywają i rycerze – jeden rzeczywiście się zjawił. Uwolnił guziki, wyjął ze smoczego brzucha włóczkowy zamek, nitkowe ulice, a także domki ze szpilek i skrawków materiału, a potem zaszył potwora (bo to był dobry rycerz) i przepędził go na cztery wiatry.

– Hura! Niech żyje Guzikowe Królestwo! – zawołały guziki.

Jednak nie cieszono się długo. Bo choć wszystko zostało uratowane, to samo Guzikowe Królestwo już nie istniało. Trzeba było zbudować je od nowa, a to okazało się wcale nie takie łatwe. Dużo trudniej znaleźć guzikowego budowniczego niż guzikowego rycerza.

Tak więc guziki, włóczkowy zamek, nitkowe ulice, a także domki ze szpilek i skrawków materiału czekają, aż ktoś odbuduje Guzikowe Królestwo". – Babcia wyciągnęła z koszyka guziki, nici, szpilki, skrawki materiału i resztki wełny.

– Guzikowe Królestwo! – krzyknął Grześ. – Gdzie je znalazłaś?

– Za szafą.

– A smok?

– Ma na imię Odkurzacz.

– A rycerz?

– Sama wyciągnęłam to wszystko.

– A ja będę guzikowym budowniczym!

Babcia uśmiechnęła się, a guziki aż podskoczyły z radości.

Helikopter Henio

W Śrubełkowie, przy ulicy Technicznej 12, mieszkał helikopter Henio. Codziennie rano mył szyby, pucował podwozie, polerował kabinę specjalną pastą, zawiązywał wstążki na śmigle, mocował pomponiki do kół, oklejał drzwi kolorowymi nalepkami i... czego on jeszcze nie robił! Bo helikopter Henio najbardziej na świecie lubił się stroić.

– Jestem najpiękniejszym helikopterem w Śrubełkowie! – wołał i, latając nad miastem, przeglądał się w szybach wystawowych.

– Wrr... i w dół. Och, jak wspaniale wyglądam! Wrr... i w górę. Och, jak lśnię w słońcu! Wrr... jaki jestem cudowny!

Pewnego dnia zobaczył ogłoszenie:

UWAGA! UWAGA!
Jutro Wielki Konkurs Helikopterowy
w Śrubełkowie!
Wspaniała zabawa! Cenne nagrody!
Zapraszamy wszystkie helikoptery!

– Właściwie od razu mogliby przyznać główną nagrodę mnie – powiedział Henio. – Wszyscy wiedzą, że jestem najlepszy. Ale skoro ma być konkurs... Dobrze. Polecę tam.

Następnego dnia wystroił się jeszcze bardziej niż zwykle i poleciał.

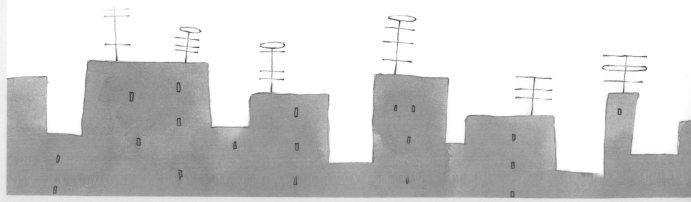

Ale szybko okazało się, że nie jest to ani konkurs piękności, ani akrobacji. Sędziowie oceniali sprawność helikopterów w akcjach ratunkowych.

– Wrr… – Henio kręcił śmigłem ile sił, ale w wąskim górskim wąwozie wstążki zasłaniały mu widok.

– Wrr… – Zahaczył pomponem o skałę, tak że ledwie uniknął wypadku.

– Wrr… – Nalepki na drzwiach kabiny zapaliły się, kiedy przelatywał obok płonącego budynku.

– Ratunku!!!

Nadjechała straż pożarna. Ugasiła pożar. Henio nie dostał pierwszej nagrody. Ani drugiej, ani trzeciej. Znalazł się na samym końcu listy zawodników.

Odtąd już nie mył szyb tak długo jak przedtem, rzadziej pucował podwozie i polerował kabinę specjalną pastą, przestał zawiązywać wstążki na śmigle, mocować pomponiki do kół i oklejać drzwi kolorowymi nalepkami. Zaczął za to ćwiczyć. A po roku zajął pierwsze miejsce w Wielkim Konkursie Helikopterowym. Tym razem rzeczywiście mu się należało.

Indiańskie sny

Indianie mieszkają w wigwamach,
Indianie polują na prerii,
Indianie się znają na strzałach
i z łuku strzelają najcelniej.

Ale kiedy noc zapada, gwiazdy świecą,
srebrny księżyc sen przynosi wszystkim dzieciom
i Indianie, ci najmniejsi, tak jak ty,
w swych wigwamach kolorowe mają sny.

Indianie śnią pewnie o lesie,
o lesie tak cichym jak noc,
gdzie echo ich kroków nie niesie,
gdy biegną tak cicho jak kot.

Indianie śnią pewnie o prerii,
o prerii tak wielkiej jak morze,
gdzie stada bizonów wędrują
i każdy polować tam może.

Indianie śnią pewnie o tacie,
że z sobą zabiera ich w las,
że pyta: „Hej! W piłkę zagracie?",
i zawsze dla dzieci ma czas.

Indianie śnią pewnie o mamie,
że czasu ma więcej niż ma,
że bawić nie muszą się sami…
      – Mamusiu! To całkiem jak ja!

J eż Jaś

 Jeż, o którym chcę wam opowiedzieć, miał na imię Jaś. Mieszkał w lesie za domem babci Małgosi i czasami zaglądał do jej ogródka.

– Dzień dobry, jeżu – mówiła babcia, a Jaś marszczył ryjek. Tak witają się jeże.

Jeż Jaś nie był zwykłym zwierzątkiem. Był zwierzątkiem, które marzyło o tym, żeby zostać królem. Wiedział, oczywiście, że królem wszystkich zwierząt jest lew – wielki i silny, mieszkał w dalekiej Afryce.

– Byłem jego najważniejszym ministrem – opowiadał bocian Bartłomiej, a Jaś słuchał go jak zaczarowany.

Król? I ma berło? I koronę? I jabłko królewskie? Mieszka w zamku? Jeż widział kiedyś książkę o królu. Wnuczka babci Małgosi zostawiła ją na trawie. Nigdy nie zapomniał kolorowych obrazków! Ach, jak bardzo chciałby być królem.

– Bocian zmyśla – mówiła Jasiowi mądra, stara ropucha. – Przechwala się i tyle. Tylko w bajkach lew jest królem zwierząt.

Ale jeż nie wierzył. Wiadomo przecież, że ropuchy nie lubią bocianów. I chociaż to samo mówiły mu inne zwierzęta, nie słuchał ich. Chciał być królem i tyle. A ponieważ nie wiedział, co trzeba zrobić, żeby zostać królem, z dnia na dzień stawał się coraz smutniejszy.

Aż do pewnej jesiennej niedzieli.

Jeż wędrował po ogródku babci Małgosi. Nocą silny wiatr postrącał jabłka ze starej jabłoni. Piękne, czerwono-złote, leżały na miękkiej trawie. Pac! Pac! Ostatnie spadały z gałęzi. Pac! Najpiękniejsze, to z samego wierzchołka, najzłociściej wyzłocone przez słońce, spadło prosto na kolczaste ubranko jeża.

– To królewskie jabłko! – powiedziała babcia Małgosia.

Jasiowi nie trzeba było więcej! Co sił w krótkich nóżkach pognał do lasu.

– Mam królewskie jabłko! Mam królewskie jabłko! – krzyczał i pod- skakiwał z radości.

A ponieważ był mądrym jeżem i wiedział, że jabłka, nawet królew- skie, szybko się psują, zaprosił przyjaciół na królewską ucztę.

Królewny i krokodyl

Była sobie raz gruba książka z historyjkami dla dzieci, a w niej opowieść o królewnie i krokodylu. Królewna miała na imię Kasia, a krokodyl w ogóle nie miał imienia, ale wcale się tym nie martwił, bo był jedynym krokodylem w całej okolicy – i tak nikt by go z żadnym innym nie pomylił. Za to w następnej opowieści była jeszcze jedna królewna. Miała na imię Asia.

Asia zazdrościła Kasi krokodyla, więc kiedy pewnego dnia jej rodzice poszli na herbatkę do zaprzyjaźnionego księstwa, wypowiedziała Kasi wojnę.

Rodziców Kasi też nie było w domu, bo zostali zaproszeni na tę samą herbatkę, co rodzice Asi.

Królewny usypały po obu stronach granicy, której żadnej z nich nie wolno było pod żadnym pozorem przekraczać, wały z piasku, zgromadziły zapasy piaskowych kul, a także ciastek i tortów, i rozpoczęły bitwę.

– Oddaj krokodyla! – wołała Asia, rzucając tortem z bitą śmietaną.

– Nie oddam, jest mój! – krzyczała Kasia, ciskając piaskową kulą.

Krokodylowi było wszystko jedno, bo oba królestwa wyglądały prawie tak samo: mlekiem i miodem płynące pola, lasy i miasta. Właściwie różniły się od siebie tylko krokodylem.

Żadna z królewien nie chciała ustąpić. Kiedy już były tak zachlapane mieszaniną słodkich kremów i piasku, że trudno je było odróżnić, wrócili rodzice.

– Nie ma się o co kłócić – powiedzieli. – Właśnie postanowiliśmy, przy herbatce, połączyć nasze królestwa. Teraz krokodyl jest wspólny.

Kasia i Asia spojrzały na siebie i wybuchnęły śmiechem.

– Masz bitą śmietanę na koronie – śmiała się Kasia.

– A ty czekoladę na policzkach – chichotała Asia.

A potem umyły się grzecznie, posprzątały bałagan po bitwie i poszły razem biegać po parku.

Krokodyl drzemał w słońcu i było mu wszystko jedno. Bo tak naprawdę nie o niego chodziło, tylko o to, żeby mieć się z kim bawić.

Lekarstwo

Lucynka leżała w łóżku i była bardzo nieszczęśliwa. Bolało ją gardło, głowa, brzuch… w ogóle wszystko ją bolało. Pan doktor powiedział, że to zwykłe przeziębienie i tyle, ale na pewno się pomylił. To musi być ta okropna grypa, o której opowiadała w sobotę ciocia Magda. Jedna pani strasznie od niej spuchła i w końcu zabrali ją do szpitala. Ciekawe, czy ta grypa w ogóle da się wyleczyć. A może to nawet jest dżuma. A na dżumę na pewno nie ma lekarstwa. I nikt się tym nie przejmuje.

– Lucynko, muszę już iść do pracy. Niedługo przyjdzie tatuś, a gdybyś się gorzej poczuła, zajrzyj do sąsiadki. Uprzedziłam ją, że możesz czegoś potrzebować – powiedziała mamusia i poszła.

A przecież Lucynka już g o r z e j czuć się nie mogła.

Tatuś nie przychodził i nie przychodził. Wpatrywanie się w zegar nie pomagało. W drzwi także. W sufit – tym bardziej. A grypa (a może dżuma) była coraz groźniejsza. Trzeba coś zrobić!

Lucynka wstała, włożyła kapcie, wciągnęła na piżamkę ciepły sweterek i poszła do sąsiadki – pani Justynki.

Pani Justynka pracowała w aptece i znała mnóstwo leków.

Okropnie gorzkich, to na pewno, ale trudno. Jeśli ona nie pomoże, to już nikt.

– Dzyń-dzyń! – zadźwięczał dzwonek.

– Dzień dobry. – Dygnęła grzecznie Lucynka. – Przyszłam po lekarstwo. Mam straszną grypę albo dżumę i mamusia powiedziała, że pani mi pomoże,

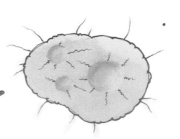

a tatusia jeszcze nie ma w domu, a ja czekam i czekam, więc jestem – powiedziała jednym tchem.

Pani Justynka zaprosiła ją do środka, posadziła na miękkiej kanapie, otuliła kocem, przyłożyła rękę do czoła dziewczynki, zajrzała do jej gardła i powiedziała poważnie:

– Na taką grypę albo dżumę jest tylko jedno lekarstwo.

– Gorzkie? – zapytała Lucynka.

– Gorzkie pewnie by nie pomogło. To będzie specjalne, słodkie jak nie wiem co. Sama zobaczysz. – I poszła do kuchni.

Wróciła stamtąd z kubkiem gorącej herbaty malinowej.

Lucynka wypiła. I zaraz poczuła się lepiej. A potem grały z panią Justynką w zagadki i z grypy albo dżumy powoli robiła się mała grypka albo nawet zwykłe przeziębienie.

A kiedy przyszedł tatuś, właściwie Lucynka była już całkiem zdrowa.

Łowienie wieloryba

– Wieloryby nie żyją w jeziorze – tłumaczył Łukaszowi dziadek – więc ich tutaj nie złowisz.

Siedzieli przed namiotem, majstrując przy wędkach, i Łukasz właśnie wyjawił dziadkowi swoją wielką tajemnicę. Postanowił po wakacjach nie wracać do domu, tylko zostać wielorybnikiem i podróżować po morzach i oceanach.

– Dlaczego wielorybnikiem, a nie po prostu marynarzem? – zapytał dziadek.

– Bo tak postanowiłem i już. Jasiek z piątego piętra też chce zostać wielorybnikiem. Kupimy wspólnie statek, bo na dwa nie starczyłoby nam pieniędzy, i umówiliśmy się, że kto podczas wakacji złowi większego wieloryba, zostanie kapitanem. A Łucja z parteru będzie stała w porcie i machała nam chusteczką.

– A skąd weźmiecie port?

– Jak to, dziadku? Przecież porty są nad morzem. Tylko nic nie mów rodzicom, bo na pewno by się nie zgodzili.

– Na pewno – mruknął dziadek i pochylił się nad kołowrotkiem. Pomajstrowali jeszcze trochę, potem rozpalili ognisko, przygotowali kolację, zjedli smażone ryby, umyli się w jeziorze i wreszcie wygodnie ułożyli w śpiworach przed namiotem. Noc była wyjątkowo ciepła… i wyjątkowo ciemna.

– Naprawdę chcesz łowić wieloryby? – zapytał dziadek.

– Naprawdę.

– Pływać po zimnych morzach i oceanach, wśród gór lodowych, sztormów, burz morskich i cyklonów?

– Czasami morze bywa spokojne – wzruszył ramionami Łukasz.

– W głębinach czaić się będą nieznane morskie stworzenia, a na lądach nieznane, groźne zwierzęta. Oczywiście, pokonasz je wszystkie – ciągnął dziadek.

– Jasiek mi pomoże – mruknął Łukasz.

– A wieloryb, wielki jak największa góra i czarny jak najczarniejsza noc, kiedy wbijesz w niego harpun, będzie ciągnął twój statek przez nieznane, słone wody.

– Eee, może nie będzie taki wielki – powiedział Łukasz.

– A może odłożysz tę wyprawę na później, a jutro złowimy kilka płoci albo leszczy. Pojutrze wracamy do domu. Zawieziemy je mamie na kolację.

– Dobrze – zgodził się Łukasz. – Niech Jasiek sam łowi wieloryby. Pomacham mu na pożegnanie razem z Łucją. Z balkonu.

Małpia przygoda

W dzikiej dżungli, gdzieś w Afryce,
wiodły małpy małpie życie:
na śniadanie
    zjadały po bananie,
        potem spacer
            po najdłuższej lianie,
                na obiad
                    małpom czasu szkoda,
                        co dzień czeka małpy
                            małpia przygoda.

Aż pewna małpa rzekła: „Dość!
Od dawna mnie ogarnia złość,
koniec zabawy i beztroski".
I poszła do murzyńskiej wioski.
Postanowiła bowiem, że
zaraz do pracy weźmie się…
Polowanie?
        Zupełnie nie dla niej.
            Dom budować?
                Po co małpie mieszkanie?
                    Ugotować obiad?
                        Trudna sprawa.
                            I w dodatku trzeba zawsze
                                wcześnie wstawać.

W mig wróciła małpa do lasu
i na pracę nie traci już czasu.
Wie, że małpie najlepiej w małpim gaju,
tam, gdzie wszystkie małpy mieszkają.
Na śniadanie
                zjadają po bananie,
                        potem spacer
                                po najdłuższej lianie,
                                        na obiad
                                                małpom czasu szkoda,
                                                        co dzień czeka małpy
                                                                małpia przygoda!

Niebyłkowo

– Nie chcę makaronu! – krzyczała Natalia. – Nie chcę zupy pomidorowej z torebki i nie chcę jajecznicy. Chcę naleśniki! Tata obiecał, że dzisiaj zrobi mi naleśniki!

– Ale musiał pojechać z Miśkiem do weterynarza, mama z babcią robią zakupy w mieście i wrócą dopiero wieczorem, a ja nie umiem smażyć naleśników – powiedział dziadek. – Możesz krzyczeć i marudzić, ile chcesz. To i tak nic nie pomoże.

Natalia wiedziała, że to prawda, ale ponieważ wstała tego dnia lewą nogą, nie mogła tak po prostu przestać.

– Jak nie, to nie – powiedziała. – To ja w ogóle nie chcę jeść. Nic was wszystkich nie obchodzę. Dlaczego mama i babcia nie zabrały mnie ze sobą? Nawet Misiek jest ważniejszy ode mnie! Idę sobie. Cześć.

I poszła.

Prawdę mówiąc, miała zamiar pójść tylko do ogrodu za domem, wdrapać się na starą gruszę i posiedzieć tam przez jakiś czas. Na złość wszystkim. Ale w ogrodzie, zamiast gruszy, stał drogowskaz z napisem NIEBYŁKOWO. Natalia troszeczkę się zdziwiła. Za mało, żeby zawrócić, więc poszła dalej. I tak znalazła się w Niebyłkowie.

Już po chwili siedziała przy niebyłkowskim stole w niebyłkowskim domu, a niebyłkowski dziadek stawiał przed nią talerz gorących naleśników, usmażonych przez niebyłkowskiego tatusia, który nie pojechał z Miśkiem do weterynarza, tylko przygotował obiad dla swojej córeczki. Mamusia postawiła na stole pyszny kompot wiśniowy, a babcia wychyliła się z kuchni, żeby zapytać, czy wnuczce smakuje.

Coś jednak było nie tak.

Misiek, czarny, kudłaty kundelek, popiskiwał w kącie, liżąc zwichniętą łapę. I... co tu robiły babcia i mama? Przecież powinny pojechać

do miasta, żeby kupić prezent dla Natalii.
Jutro urodziny. Nie zdążą!
– Nie chcę naleśników. – Natalia
odsunęła talerz. – Zjem makaron.
Albo zupę pomidorową z torebki.
Albo jajecznicę. Do widzenia.
I wróciła z Niebyłkowa do domu.

Olbrzym Obłoczek

Olbrzym Obłoczek nie mógł mieszkać w Krainie Baśni, ponieważ żaden olbrzym nie powinien tam mieć tak dziwnego, jak na olbrzyma, imienia. Dlatego, gdy tylko okazało się, że jest Obłoczkiem, ruszył w drogę. Miał ze sobą trzy kanapki, które dostał od dobrej wróżki. Niósł je w kraciastej chuście zawieszonej na kiju. Był bardzo, bardzo smutny. Szedł i szedł, aż dotarł na skraj lasu.

– Hej, olbrzymie! – zawołał ktoś z dołu.

Obłoczek pochylił się i ostrożnie rozgarnął trawę. Pod stokrotką siedział mały, obdarty krasnoludek.

– Daj mi kanapkę – powiedział bez żadnych wstępów. – Jestem bardzo głodny.

– Ale jeśli ci dam jedną, zostaną mi tylko dwie. To wszystko, co mam – mruknął olbrzym.

– Głodnemu żałujesz?

Obłoczek zawstydził się. Rzeczywiście, krasnoludek wyglądał wyjątkowo nędznie. Dał mu kanapkę.

– Odwdzięczę ci się, zobaczysz – powiedział skrzat i zniknął.

Olbrzym tylko wzruszył ramionami. Jak mógł mu się odwdzięczyć taki mały, obdarty krasnoludek? Poszedł dalej. Szedł i szedł, aż zatrzymał się na skraju rozległej polany.

– Hej, olbrzymie! – krzyknął ktoś prosto do jego ucha.

Obłoczek rozchylił gałęzie drzewa, obok którego stał. Na konarze siedziała mała, obdarta czarownica.

– Daj mi kanapkę – zażądała. – Jestem bardzo głodna.

– Ale jeśli ci ją dam, zostanie mi tylko jedna. To wszystko, co mam – mruknął olbrzym.

– Głodnemu żałujesz?

Obłoczek zawstydził się po raz drugi. Rzeczywiście, czarownica wyglądała jeszcze nędzniej niż krasnoludek. Dał jej kanapkę.

– Odwdzięczę ci się, zobaczysz. Poczekaj tu chwilę – powiedziała i zniknęła.

Olbrzym tylko wzruszył ramionami. Jak mogła mu się odwdzięczyć taka mała, obdarta czarownica? Lecz nagle…

zaświstało, zagwizdało, zawirowało i na polanie pojawił się krasnoludek, za nim czarownica, a za nimi… dom. Był olbrzymi, a na drzwiach miał wizytówkę „Olbrzym Obłoczek".

– Tutaj możesz mieć na imię Obłoczek – powiedział krasnoludek.

– Tutaj masz przyjaciół – powiedziała czarownica.

– Tutaj jest mój dom – powiedział olbrzym Obłoczek i zamieszkał na leśnej polanie, gdzie nikomu nie przeszkadzało jego imię.

Prognoza pogody

W piątek mój młodszy brat, Piotrek, obraził się na telewizor. A wszystko przez prognozę pogody – mama obiecała, że zabierze nas do zoo, a tymczasem zapowiedziano deszcz, wiatr i inne nieprzyjemne rzeczy.

– Prognoza się sprawdzi albo nie – powiedział tata. – Zobaczymy jutro.

– Na pewno będzie lało – mruknął tylko Piotrek i ze złości poszedł spać z brudną szyją. Dobrze, że mama tego nie widziała.

W sobotę rano okazało się, że świeci słońce. Ani śladu deszczu. Oczywiście pojechaliśmy do zoo i świetnie się bawiliśmy: pawiany jadły banany, pawie spacerowały po trawie, pantery były cztery, a papużki dziobały okruszki. I były jeszczy pingwiny – całe pingwinie rodziny.

Nawet Piotrek śmiał się i biegał, i skakał, chociaż rano był naburmuszony i zły. A przecież nie padało. W zoo mu przeszło. Wróciło, kiedy jechaliśmy z powrotem. Przez całą drogę nie odezwał się ani słowem. W domu byliśmy tuż przed dobranocką. Piotrek nigdy nie opuszczał filmu, a teraz poszedł prosto do swojego pokoju.

– Nie chcę oglądać bajki – mruknął tylko.

Wciąż był obrażony.

– Co ci jest, Piotrusiu? – zapytała mama.

– Nie będę już oglądał telewizji – powiedział mój brat. – Kłamie i tyle. Jak się zapowiada deszcz, to powinien być deszcz. Przez ten głupi telewizor niepotrzebnie się złościłem.

– Ależ synku – próbowała tłumaczyć mu mama. – Prognoza to prognoza. Nie musi się sprawdzać. Każdy się czasami myli.

Piotrek w ogóle jej nie słuchał.

– I na pewno nic nie jest prawdziwe… – chlipnął. – Ani szewczyk Dratewka, ani ta pani, która występuje w „Wiadomościach", ani królewna. I skąd ja mam wiedzieć, co jest naprawdę?

Mama uśmiechnęła się i przytuliła Piotrka, a tata wychylił się ze swojego pokoju i powiedział:

– Co prawda, to prawda. Czasami trudno odróżnić bajkę od rzeczywistości.

A czy wam zawsze się to udaje?

Ropucha Renatka

– Raz, dwa, trzy! Raz, dwa, trzy! – Leśną ścieżką maszerował oddział mrówek.

– Bzz, bzz, bzz! Bzz, bzz, bzz! – Nad łąką krążyły pszczoły.

– Kum, kum, kum! Kum, kum, kum! – kumkały żaby w stawie.

– Rech, rech, rech! – wtórowały im ropuchy.

Mieszkańcy lasu, łąki i stawu żyli szczęśliwie i bez trosk. Wszyscy, z wyjątkiem ropuchy Renatki, która marzyła o tym, żeby podróżować po świecie. Życie nad brzegiem spokojnego bajorka wydawało jej się wyjątkowo nudne.

– Za lasem nie ma już nic ciekawego – mówiły jej mrówki. – Nie ma żadnego powodu, dla którego miałabyś się tam dostać.

– Na łące jest dość kwiatów i innych pięknych rzeczy – tłumaczyły pszczoły. – Dlaczego chcesz ją opuszczać?

– Staw jest najwygodniejszym mieszkaniem na świecie – kiwały głowami żaby. – Zostań tutaj i nie wymyślaj niemądrych rzeczy.

– Podróże są męczące i niewygodnc – twierdziły ropuchy. – Ale jeśli chcesz, ruszaj w drogę.

Renatka długo myślała, co zrobić, aż wymyśliła: z pęku dmuchawców i kosza wyplecionego z sitowia zbudowała balon i… poleciała.

– Raz, trzy, dwa! Raz, trzy, dwa! – Mrówki zadarły głowy do góry i ze zdziwienia pomyliły rytm.

– Bzz! – bzyknęły pszczoły i zamilkły.

– Kum, kum? – zakumkały zdumione żaby, zaś ropuchy… urządziły owacje:

> – Rech, rech, rech,
> rech, rech, rech,
> wszystko możesz,
> jeśli chcesz! – rechotały, bardzo dumne z Renatki.

S mok

 Moja koleżanka Sylwia ma wszystko: rower górski, papugę, chomika, starszego brata, młodszą siostrę i żółtą sukienkę z kokardkami.

A tatuś Sylwii wie wszystko o komputerach. A mamusia Sylwii jest najmądrzejsza na świecie i ma smoka. Tatuś Sylwii kupił go jej na imieniny.

Kiedy tylko wróciłam z podwórka do domu, zaraz wszystkim o tym powiedziałam.

Ale mi nie uwierzyli.

– Przecież smoki nie istnieją, kochanie – powiedziała babcia.

– Może jest zielony, zieje ogniem i lata? – zaśmiała się Marta, moja starsza siostra. – Dobrze, że nie jesteś księżniczką, bo by cię pożarł. Smoki to niebezpieczne stworzenia.

Obraziłam się i poszłam do swojego pokoju.

Oczywiście, że jest zielony, zieje ogniem i lata. Przecież wszystkie smoki są takie. I pewnie nie jest taki zupełnie ogromny, bo nie zmieściłby się w mieszkaniu. Ale to na pewno smok. Sama słyszałam.

Po południu przyszła Sylwia.

– Jak smok? – zapytałam w korytarzu, żeby wszyscy słyszeli.

– Jest śliczny. Jeszcze całkiem malutki i potyka się o własne łapy, kiedy chodzi, ale już mnie poznaje. Merda ogonem, kiedy wracam ze szkoły. I tak śmiesznie marszczy mordkę – rozgadała się Sylwia. – A do mamusi od razu się przyzwyczaił. Piszczy, kiedy nie ma jej w pobliżu. Mamusia przyjdzie po mnie wieczorem i obiecała, że go zabierze, żebyś mogła zobaczyć, jaki jest świetny.

Babcia tylko wyjrzała z kuchni i uniosła brwi ze zdumienia. Teraz musi uwierzyć. Przecież Sylwia ma wszystko, więc czemu nie mogłaby mieć smoka?

Poszłyśmy do pokoju. Trochę odrabiałyśmy lekcje, trochę się wygłupiałyśmy i bardzo szybko zrobił się wieczór.

Przyszła mama Sylwii.

W ręku miała koszyk.

W koszyku był smok.

Pewnie. Przecież nie przyprowadziła go na smyczy. Był jeszcze za mały. Poza tym… kto widział smoka na smyczy?

Wiercił się i popiskiwał.

– Babciu, babciu! Chodź zobaczyć smoka! – zawołałam.

Mama Sylwii wyciągnęła z koszyka małe zawiniątko.

– Proszę bardzo – powiedziała. – To Smok.

Z kocyka wyplątał się mały, kudłaty szczeniak. Miał na imię Smok.

Tort

Kiedy mam czas, to sobie marzę,
że kiedyś będę marynarzem.
        Przepłynę oceanu wody,
        nad Nilem porwie mnie krokodyl,
        ja uratuję się, rzecz jasna,
        i, sławny, wrócę w mig do miasta…

A w domu czekać będzie już
najlepszy prezent,
cudów cud:
        Najpiękniejszy, najpyszniejszy
        śmietankowo-owocowy,
        najsmaczniejszy i największy
        tort urodzinowy.

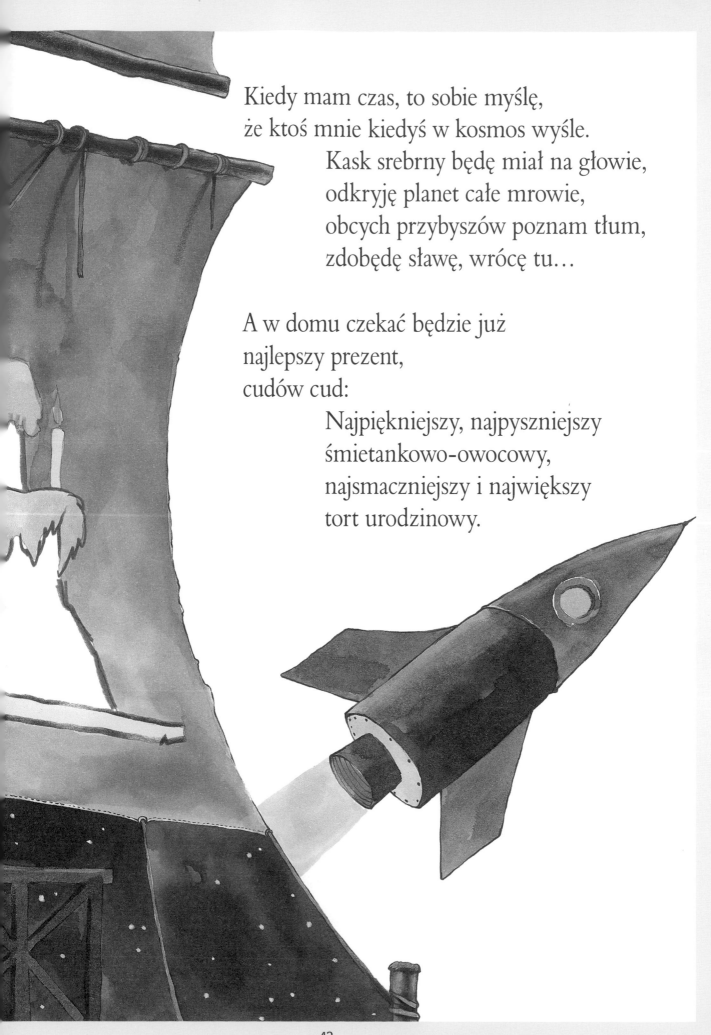

Kiedy mam czas, to sobie myślę,
że ktoś mnie kiedyś w kosmos wyśle.
        Kask srebrny będę miał na głowie,
        odkryję planet całe mrowie,
        obcych przybyszów poznam tłum,
        zdobędę sławę, wrócę tu…

A w domu czekać będzie już
najlepszy prezent,
cudów cud:
        Najpiękniejszy, najpyszniejszy
        śmietankowo-owocowy,
        najsmaczniejszy i największy
        tort urodzinowy.

Upiorek i dziewczynka

 Był sobie stary, stary dom i w tym starym, starym domu, na parterze, mieszkała mała, grzeczna dziewczynka, a na strychu mały, uparty upiorek.

Na parterze dziewczynka uśmiechała się miło do wszystkich, zawsze chętnie pomagała rodzicom i w całym miasteczku stawiana była za wzór innym dzieciom. Mówiła zawsze:

– Tak, mamusiu, zjem szpinak.

Albo:

– Tak, tatusiu, masz rację, jest za zimno na lody.

Albo:

– Tak, babciu, ten różowy sweterek jest prześliczny.

I za każdym razem grzecznie dygała.

A na strychu upiorek wykrzywiał się okropnie, kiedy tylko ktoś na niego spojrzał i nigdy na nic się nie zgadzał. Całe dnie i całe noce wył i krzyczał:

– Nie! Nie chcę marchewki! Nienawidzę marchewki!

Albo:

– Nie! Nie będę nikogo straszył! Nie lubię straszyć!

Albo:

– Nie! Nie będę spał w dzień! Chcę spać w nocy!

I za każdym razem okropnie przy tym tupał.

Dziewczynka nie miała przyjaciół, bo dzieci nie lubią, jeśli ktoś jest im ciągle stawiany za wzór, a upiorek nie miał przyjaciół, bo wszystkie inne upiorki już dawno zmęczyło jego uparte „nie" i „nie".

Oboje byli więc bardzo smutni. Tak smutni, że w końcu rodzice dziewczynki i rodzice upiorka postanowili coś z tym zrobić. Poprosili o pomoc najlepszego czarodzieja w miasteczku.

Czarodziej wymieszał wszystkie „tak" i „nie" i odtąd dziewczynka była zwyczajną dziewczynką, a upiorek zwyczajnym upiorkiem.

I oboje byli bardzo, bardzo szczęśliwi.

Wakacje w Wiatrolandii

Wojtek jechał na wakacje do babci. Znowu. Jak co roku. Ciągle tak samo: tatuś zawoził go na dworzec, wsadzał w pociąg, babcia czekała na peronie, Wojtek wysiadał, szli kawałek i już byli w babcinym domu. A potem… co tu dużo mówić – nuda. Jak co roku: jezioro, las, łąka… Nic ciekawego. Ach, gdyby tak coś się wydarzyło. Cokolwiek.

★ ★ ★

Wiatr, który hulał po torach kolejowych, zawiał mocniej i frrruuu… pociąg uniósł się w górę. Poszybował prosto do Wiatrolandii.

– Przygoda! – ucieszył się Wojtek i wysiadł na stacji WIATRACZKOWO. Wokół nie było żywego ducha. Ani maszynisty, ani zawiadowcy, ani pani bileterki w kasie. Cisza jak makiem zasiał. Nie przerywał jej nawet szum wiatru… Właśnie.

– Nie ma wiatru w Wiatrolandii? – zdziwił się Wojtek.

Wędrował zaułkami miasteczka, ale nie udało mu się nikogo spotkać. Jedna z ulic zaprowadziła go nad morze. Fale leniwie odbijały się od brzegu. A to co?

Woda wyrzuciła u jego stóp butelkę. W środku był list:

> RATUNKU!!!
> *Do nieznajomego podróżnika!*
> *Dzielny przybyszu! Porwała nas okrutna Cisza Morska.*
> *Jeśli wybawisz nas z jej szponów, podarujemy ci*
> *najpiękniejszy latający dywan świata. Spiesz się.*
> *Mieszkańcy Wiatraczkowa*

– To coś w sam raz dla mnie – ucieszył się Wojtek. – Będę bohaterem i jeszcze dostanę latający dywan. HURA!!! – zawołał.

I to wystarczyło.

Cisza Morska zniknęła. W jednej chwili plaża zapełniła się wdzięcznymi mieszkańcami Wiatraczkowa. Uśmiechali się do Wojtka, klepali go przyjaźnie po plecach, gratulowali, rzucali mu się na szyję… A wszystko przy akompaniamencie świstu i wycia wiatru – jak to w Wiatrolandii.

Na szczęście w końcu ktoś przyniósł latający dywan. Wojtek wsiadł na niego i poszybował prosto na stację. Wsiadł do pociągu. Frrruuu… Za chwilę był u babci.

★ ★ ★

– Latający dywan? – zdziwiła się babcia. – Przecież latające dywany latają tylko w Wiatrolandii. Tutaj na nic ci się nie przyda. I oczywiście miała rację.

Ale Wojtek i tak był z siebie bardzo dumny.

Yeti

– **A**niu, opowiedz o swoich wakacjach – poprosiła pani.

Wiedziałam, że tak będzie. Mój brat jest o rok starszy, więc dokładnie wiem, jak to jest w pierwszej klasie. Pierwsze dni w szkole, nowi przyjaciele, szukanie skarbów jesieni, choinka… a po feriach zimowych – opowiadanie o wakacjach.

Wstałam i opowiedziałam, jak spotkałam Yeti.

Pojechaliśmy z moim bratem Bartkiem i rodzicami w góry, na narty. Ja jeszcze nie umiem jeździć, więc tatuś uczył mnie na oślej łące – to taka łagodna górka dla początkujących – a mama z Bartkiem stali w kolejce do wyciągu i śmigali z prawdziwego stoku.

Po południu lepiliśmy bałwany i budowaliśmy zamki ze śniegu albo rzucaliśmy się śnieżkami. Naprawdę było świetnie. Tylko wieczorem nam się nudziło. To znaczy dzieciom. Bo rodzice chcieli, żebyśmy chodzili spać tak samo wcześnie jak w domu. Jakby nie było wakacji. A sami szli do kawiarni i pili piwo albo kawę, albo tańczyli.

Nudziliśmy się tak trzy wieczory, aż czwartego Bartek powiedział, że przy ścieżce do wyciągu widział ślady Yeti.

– Wielkie jak nie wiem co – wyszeptał. – Wyobrażasz sobie, jacy bylibyśmy sławni, gdybyśmy go wyśledzili?

Wyobraziłam sobie…

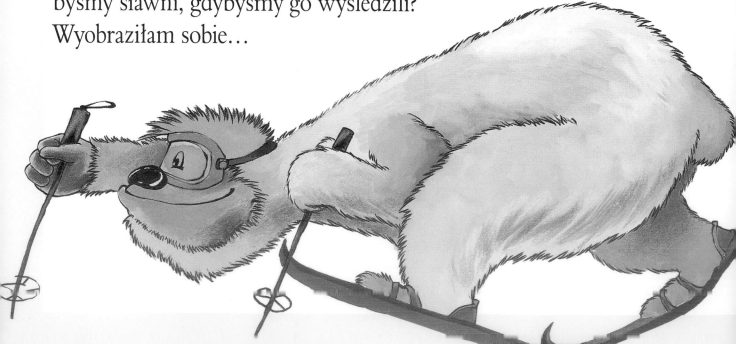

Czym prędzej ubraliśmy się i na palcach wymknęliśmy z hotelu.
Bartek miał rację. Ślady były wielkie jak nie wiem co. Musiał zostawić
je Yeti. Zaprowadziły nas do samego wyciągu i tam się urywały.
– Odleciał? – zapytałam głupio.
– Coś ty! Przecież Yeti nie lata – powiedział Bartek.
I nagle…
Już wiedzieliśmy, co robi Yeti. Oczywiście, że nie lata. Jeździ na nar-
tach. Mknął z góry jak wielka śnieżna kula. Wyhamował, zatoczył
łagodny łuk i zatrzymał się tuż obok. Był wielki jak nie wiem co.
– Też przyszliście pojeździć teraz, kiedy już nie ma tłoku? – zapytał. – Mielibyście rację, gdybyście byli dorośli, ale dzieci nie powinny
wychodzić same tak późno.
Rodzice na pewno skrzyczeliby nas za tę wycieczkę i nigdy w życiu
nie uwierzyli, co się stało, gdyby Yeti nie odprowadził nas do hotelu.
„Dla bezpieczeństwa” – tak powiedział.
Mamusia i tatuś bardzo się z nim zaprzyjaźnili i odtąd zamiast wic-
czorami pić piwo albo kawę, albo tańczyć, chodzili z Yeti na stok,
zjeżdżać na nartach. Yeti okazał się taki sam jak oni. Też uważał, że
dzieci powinny wcześnie chodzić spać.
– Ależ Aniu. Bardzo ładnie to opowiedziałaś, ale przecież Yeti nie ist-
nieje. – Pani spojrzała na mnie z wyrzutem. – Jak możesz tak zmyślać?
– Wiedziałam, że nikt mi nie uwierzy – powiedziałam. – Więc za-
brałam go ze sobą.
Zamachałam chusteczką przez okno. To był nasz umówiony znak.
I za chwilę Yeti wszedł do klasy. Wielki jak nie wiem co. I prawdziwy.
Najprawdziwszy.

Zapominalska zebra

Dawno, dawno temu, w dalekiej Afryce, żyła zebra Agata. Wyglądała inaczej niż zebry, które znamy z zoo – była biała jak śnieg. Wszystkie zebry były wówczas takie.

Zebra Agata była okropną zapominalską. Zapominała o wszystkim: o imieninach ciotki, urodzinach najlepszej przyjaciółki, wizycie sąsiadów, o tym, że nadchodzi pora deszczowa, i o tym, że nadchodzi pora sucha… a nawet o tym, że codziennie wieczorem dzień zmienia się w noc, a codziennie rano noc staje się dniem. I to zapominanie było najgorsze, ponieważ zebra Agata oprócz tego, że była zapominalską, była także tchórzem. Każdego wieczoru bała się więc okropnie, że słońce już nigdy nie wstanie i na świecie zawsze będzie panowała noc.

Mama-zebra zaprowadziła Agatę do starej, mądrej żyrafy, która poradziła tak:

– Narysuj kopytem kreski na piasku. Będą oznaczać dzień i noc, dzień i noc. Ile razy na nie spojrzysz, przypomnisz sobie, że po jednym następuje drugie.

Zebra Agata zrobiła tak, jak poradziła jej żyrafa. Ale już następnego dnia zapomniała, w którym miejscu narysowała kreski.

Mama-zebra zaprowadziła więc córkę do starej, mądrej antylopy, która poradziła tak:

– Zedrzyj z drzewa pasy kory. Będą oznaczać dzień i noc, dzień i noc. Ile razy na nie spojrzysz, przypomnisz sobie, że po jednym następuje drugie.

Zebra Agata zrobiła tak, jak poradziła jej antylopa. Ale już następnego dnia zapomniała, w którym miejscu rośnie drzewo.

Mama-zebra zaprowadziła więc córkę do starego, mądrego słonia, który poradził tak:

– Namaluj na swojej skórze biało-czarne pasy. Będą oznaczać dzień i noc, dzień i noc. Ile razy na nie spojrzysz, przypomnisz sobie, że po jednym następuje drugie.

Zebra Agata zrobiła tak, jak poradził jej słoń i odtąd w każdej chwili mogła sobie przypomnieć, że po nocy przychodzi dzień.

Zaś innym zebrom tak spodobały się jej paski, że od tej pory wszystkie są czarno-białe.

Twoje własne opowiadanie

Wybierz swoją ulubioną literę alfabetu i napisz opowiadanie, którego bohaterką będzie ta litera.